CONCERT
CHRONICLES

CONCERT JOURNAL

Timeside Press

CONCERTS
CHRONICLED BY

_____

SHOW INDEX

ARTIST / BAND

DATE
_____

CONCERT #

_____

VENUE

_____

TOUR NAME/EVENT

_____

LOCATION

_____

TIME SEEN

① ② ③ ④ ⑤ ⬭

OTHER ACTS

_____

TICKET COST

_____

SEAT LOCATION

_____

WHO I WENT WITH

_____

MY EXPERIENCE

OVERALL ☆☆☆☆☆

SEE AGAIN? Yes | Maybe | No

AUDIENCE ENERGY ☆☆☆☆☆

CHOEOGRAPHY ☆☆☆☆☆

COSTUMES & FASHION ☆☆☆☆☆

STAGE PRESENCE ☆☆☆☆☆

STAGE VISUALS ☆☆☆☆☆

SOUND QUALITY ☆☆☆☆☆

FAVORITE MEMORY

WHEN I LEFT I FELT...

"QUOTE OF THE SHOW"

BUCKET LIST

☐ Heard favorite song   ☐ Made it to the front row

☐ Made it backstage   ☐ Made me cry

☐ Got band merch   ☐ Concert road trip

☐ Lost my voice from singing   ☐ _____

ARTIST/BAND

DATE

_____

SETLIST

_____ _____

_____ _____

_____ _____

_____ _____

_____ _____

_____ _____

_____ _____

_____ _____

_____ _____

_____ _____

_____ _____

_____ _____

_____ _____

_____ _____

_____ _____

_____ _____

_____ _____

_____ _____

_____ _____

_____ _____

FAVORITE SONG PLAYED

_____

MEMORIES

ARTIST / BAND

DATE

_____

CONCERT #

VENUE

_____

TOUR NAME/EVENT

_____

LOCATION

_____

TIME SEEN

(1) (2) (3) (4) (5) ( )

OTHER ACTS

_____

TICKET COST

_____

SEAT LOCATION

_____

WHO I WENT WITH

_____

MY EXPERIENCE

OVERALL ☆☆☆☆☆

SEE AGAIN? Yes | Maybe | No

AUDIENCE ENERGY ☆☆☆☆☆

CHOEOGRAPHY ☆☆☆☆☆

COSTUMES & FASHION ☆☆☆☆☆

STAGE PRESENCE ☆☆☆☆☆

STAGE VISUALS ☆☆☆☆☆

SOUND QUALITY ☆☆☆☆☆

FAVORITE MEMORY

WHEN I LEFT I FELT...

"QUOTE OF THE SHOW"

BUCKET LIST

- ☐ Heard favorite song
- ☐ Made it backstage
- ☐ Got band merch
- ☐ Lost my voice from singing

- ☐ Made it to the front row
- ☐ Made me cry
- ☐ Concert road trip
- ☐ _____

ARTIST/BAND

DATE

SETLIST

_____   _____
_____   _____
_____   _____
_____   _____
_____   _____
_____   _____
_____   _____
_____   _____
_____   _____
_____   _____
_____   _____
_____   _____
_____   _____
_____   _____
_____   _____
_____   _____
_____   _____
_____   _____

FAVORITE SONG PLAYED

_____

MEMORIES

ARTIST / BAND

DATE

_____

CONCERT #

VENUE

_____

TOUR NAME/EVENT

_____

LOCATION

_____

TIME SEEN

(1) (2) (3) (4) (5) ( )

OTHER ACTS

_____

TICKET COST

_____

SEAT LOCATION

_____

WHO I WENT WITH

_____

MY EXPERIENCE

OVERALL ☆☆☆☆☆

SEE AGAIN? Yes | Maybe | No

AUDIENCE ENERGY ☆☆☆☆☆

CHOEOGRAPHY ☆☆☆☆☆

COSTUMES & FASHION ☆☆☆☆☆

STAGE PRESENCE ☆☆☆☆☆

STAGE VISUALS ☆☆☆☆☆

SOUND QUALITY ☆☆☆☆☆

FAVORITE MEMORY

WHEN I LEFT I FELT...

"QUOTE OF THE SHOW"

BUCKET LIST

☐ Heard favorite song   ☐ Made it to the front row

☐ Made it backstage   ☐ Made me cry

☐ Got band merch   ☐ Concert road trip

☐ Lost my voice from singing   ☐ _____

ARTIST/BAND

DATE

SETLIST

_____   _____
_____   _____
_____   _____
_____   _____
_____   _____
_____   _____
_____   _____
_____   _____
_____   _____
_____   _____
_____   _____
_____   _____
_____   _____
_____   _____
_____   _____
_____   _____
_____   _____
_____   _____

FAVORITE SONG PLAYED

_____

MEMORIES

ARTIST / BAND

DATE
_____

_____

VENUE

_____

TOUR NAME/EVENT

_____

LOCATION

_____

TIME SEEN

① ② ③ ④ ⑤ ⬭

OTHER ACTS

_____

TICKET COST

_____

SEAT LOCATION

_____

WHO I WENT WITH

_____

MY EXPERIENCE

OVERALL ☆☆☆☆☆

SEE AGAIN? Yes | Maybe | No

AUDIENCE ENERGY ☆☆☆☆☆

CHOEOGRAPHY ☆☆☆☆☆

COSTUMES & FASHION ☆☆☆☆☆

STAGE PRESENCE ☆☆☆☆☆

STAGE VISUALS ☆☆☆☆☆

SOUND QUALITY ☆☆☆☆☆

FAVORITE MEMORY

WHEN I LEFT I FELT...

"QUOTE OF THE SHOW"

BUCKET LIST

- ☐ Heard favorite song
- ☐ Made it backstage
- ☐ Got band merch
- ☐ Lost my voice from singing

- ☐ Made it to the front row
- ☐ Made me cry
- ☐ Concert road trip
- ☐ _____

ARTIST/BAND

DATE

SETLIST

_____ _____
_____ _____
_____ _____
_____ _____
_____ _____
_____ _____
_____ _____
_____ _____
_____ _____
_____ _____
_____ _____
_____ _____
_____ _____
_____ _____
_____ _____
_____ _____
_____ _____
_____ _____
_____ _____
_____ _____

FAVORITE SONG PLAYED

_____

MEMORIES

ARTIST / BAND

DATE

_____

CONCERT #

VENUE

_____

TOUR NAME/EVENT

_____

LOCATION

_____

TIME SEEN

① ② ③ ④ ⑤ ⬭

OTHER ACTS

_____

TICKET COST

_____

SEAT LOCATION

_____

WHO I WENT WITH

_____

MY EXPERIENCE

OVERALL ☆☆☆☆☆

SEE AGAIN? Yes | Maybe | No

AUDIENCE ENERGY ☆☆☆☆☆

CHOEOGRAPHY ☆☆☆☆☆

COSTUMES & FASHION ☆☆☆☆☆

STAGE PRESENCE ☆☆☆☆☆

STAGE VISUALS ☆☆☆☆☆

SOUND QUALITY ☆☆☆☆☆

FAVORITE MEMORY

WHEN I LEFT I FELT...

"QUOTE OF THE SHOW"

BUCKET LIST

☐ Heard favorite song   ☐ Made it to the front row

☐ Made it backstage   ☐ Made me cry

☐ Got band merch   ☐ Concert road trip

☐ Lost my voice from singing   ☐ _____

ARTIST/BAND

DATE

SETLIST

_____   _____

_____   _____

_____   _____

_____   _____

_____   _____

_____   _____

_____   _____

_____   _____

_____   _____

_____   _____

_____   _____

_____   _____

_____   _____

_____   _____

_____   _____

_____   _____

_____   _____

FAVORITE SONG PLAYED

_____

MEMORIES

ARTIST / BAND

DATE

_____

CONCERT #

VENUE

_____

TOUR NAME/EVENT

_____

LOCATION

_____

TIME SEEN

(1) (2) (3) (4) (5) ( )

OTHER ACTS

_____

TICKET COST

_____

SEAT LOCATION

_____

WHO I WENT WITH

_____

MY EXPERIENCE

OVERALL ☆☆☆☆☆

AUDIENCE ENERGY ☆☆☆☆☆

COSTUMES & FASHION ☆☆☆☆☆

STAGE VISUALS ☆☆☆☆☆

SEE AGAIN? Yes | Maybe | No

CHOEOGRAPHY ☆☆☆☆☆

STAGE PRESENCE ☆☆☆☆☆

SOUND QUALITY ☆☆☆☆☆

FAVORITE MEMORY

WHEN I LEFT I FELT...

"QUOTE OF THE SHOW"

BUCKET LIST

☐ Heard favorite song   ☐ Made it to the front row

☐ Made it backstage   ☐ Made me cry

☐ Got band merch   ☐ Concert road trip

☐ Lost my voice from singing   ☐ _____

ARTIST/BAND

DATE

SETLIST

_____   _____
_____   _____
_____   _____
_____   _____
_____   _____
_____   _____
_____   _____
_____   _____
_____   _____
_____   _____
_____   _____
_____   _____
_____   _____
_____   _____
_____   _____
_____   _____
_____   _____
_____   _____

FAVORITE SONG PLAYED

_____

MEMORIES

ARTIST / BAND

DATE

_____

_____

VENUE

_____

TOUR NAME/EVENT

_____

LOCATION

_____

TIME SEEN

① ② ③ ④ ⑤ ⬭

OTHER ACTS

_____

TICKET COST

_____

SEAT LOCATION

_____

WHO I WENT WITH

_____

MY EXPERIENCE

OVERALL ☆☆☆☆☆

SEE AGAIN? Yes | Maybe | No

AUDIENCE ENERGY ☆☆☆☆☆

CHOEOGRAPHY ☆☆☆☆☆

COSTUMES & FASHION ☆☆☆☆☆

STAGE PRESENCE ☆☆☆☆☆

STAGE VISUALS ☆☆☆☆☆

SOUND QUALITY ☆☆☆☆☆

FAVORITE MEMORY

WHEN I LEFT I FELT...

"QUOTE OF THE SHOW"

BUCKET LIST

- ☐ Heard favorite song
- ☐ Made it backstage
- ☐ Got band merch
- ☐ Lost my voice from singing

- ☐ Made it to the front row
- ☐ Made me cry
- ☐ Concert road trip
- ☐ _____

ARTIST/BAND

DATE

SETLIST

FAVORITE SONG PLAYED

MEMORIES

ARTIST / BAND

DATE

_____

CONCERT #

_____

VENUE

_____

TOUR NAME/EVENT

_____

LOCATION

_____

TIME SEEN

① ② ③ ④ ⑤ ⬭

OTHER ACTS

_____

TICKET COST

_____

SEAT LOCATION

_____

WHO I WENT WITH

_____

MY EXPERIENCE

OVERALL ☆☆☆☆☆

SEE AGAIN? Yes | Maybe | No

AUDIENCE ENERGY ☆☆☆☆☆

CHOEOGRAPHY ☆☆☆☆☆

COSTUMES & FASHION ☆☆☆☆☆

STAGE PRESENCE ☆☆☆☆☆

STAGE VISUALS ☆☆☆☆☆

SOUND QUALITY ☆☆☆☆☆

FAVORITE MEMORY

WHEN I LEFT I FELT...

"QUOTE OF THE SHOW"

BUCKET LIST

- ☐ Heard favorite song
- ☐ Made it backstage
- ☐ Got band merch
- ☐ Lost my voice from singing

- ☐ Made it to the front row
- ☐ Made me cry
- ☐ Concert road trip
- ☐ _____

ARTIST/BAND

DATE

SETLIST

_____   _____
_____   _____
_____   _____
_____   _____
_____   _____
_____   _____
_____   _____
_____   _____
_____   _____
_____   _____
_____   _____
_____   _____
_____   _____
_____   _____
_____   _____
_____   _____
_____   _____
_____   _____

FAVORITE SONG PLAYED

_____

MEMORIES

ARTIST / BAND

CONCERT #

VENUE

TOUR NAME/EVENT

LOCATION

TIME SEEN

(1) (2) (3) (4) (5) ( )

OTHER ACTS

TICKET COST

SEAT LOCATION

WHO I WENT WITH

MY EXPERIENCE

OVERALL ☆☆☆☆☆

SEE AGAIN? Yes | Maybe | No

AUDIENCE ENERGY ☆☆☆☆☆

CHOEOGRAPHY ☆☆☆☆☆

COSTUMES & FASHION ☆☆☆☆☆

STAGE PRESENCE ☆☆☆☆☆

STAGE VISUALS ☆☆☆☆☆

SOUND QUALITY ☆☆☆☆☆

FAVORITE MEMORY

WHEN I LEFT I FELT...

"QUOTE OF THE SHOW"

BUCKET LIST

- ☐ Heard favorite song
- ☐ Made it backstage
- ☐ Got band merch
- ☐ Lost my voice from singing

- ☐ Made it to the front row
- ☐ Made me cry
- ☐ Concert road trip
- ☐ _____

ARTIST/BAND

DATE

SETLIST

_____   _____
_____   _____
_____   _____
_____   _____
_____   _____
_____   _____
_____   _____
_____   _____
_____   _____
_____   _____
_____   _____
_____   _____
_____   _____
_____   _____
_____   _____
_____   _____
_____   _____
_____   _____

FAVORITE SONG PLAYED

_____

MEMORIES

ARTIST / BAND

DATE
_____

CONCERT #

VENUE
_____

TOUR NAME/EVENT
_____

LOCATION
_____

TIME SEEN
① ② ③ ④ ⑤ ⬭

OTHER ACTS
_____

TICKET COST
_____

SEAT LOCATION
_____

WHO I WENT WITH
_____

MY EXPERIENCE

OVERALL ☆☆☆☆☆

SEE AGAIN? Yes | Maybe | No

AUDIENCE ENERGY ☆☆☆☆☆

CHOEOGRAPHY ☆☆☆☆☆

COSTUMES & FASHION ☆☆☆☆☆

STAGE PRESENCE ☆☆☆☆☆

STAGE VISUALS ☆☆☆☆☆

SOUND QUALITY ☆☆☆☆☆

FAVORITE MEMORY

WHEN I LEFT I FELT...

"QUOTE OF THE SHOW"

BUCKET LIST

- ☐ Heard favorite song
- ☐ Made it backstage
- ☐ Got band merch
- ☐ Lost my voice from singing

- ☐ Made it to the front row
- ☐ Made me cry
- ☐ Concert road trip
- ☐ _____

ARTIST/BAND

DATE

SETLIST

_____   _____
_____   _____
_____   _____
_____   _____
_____   _____
_____   _____
_____   _____
_____   _____
_____   _____
_____   _____
_____   _____
_____   _____
_____   _____
_____   _____
_____   _____
_____   _____
_____   _____
_____   _____
_____   _____

FAVORITE SONG PLAYED

_____

MEMORIES

ARTIST / BAND

DATE
_____

CONCERT #

VENUE
_____

TOUR NAME/EVENT
_____

LOCATION
_____

TIME SEEN
① ② ③ ④ ⑤ ⬭

OTHER ACTS
_____

TICKET COST
_____

SEAT LOCATION
_____

WHO I WENT WITH
_____

MY EXPERIENCE

OVERALL ☆☆☆☆☆

SEE AGAIN? Yes | Maybe | No

AUDIENCE ENERGY ☆☆☆☆☆

CHOEOGRAPHY ☆☆☆☆☆

COSTUMES & FASHION ☆☆☆☆☆

STAGE PRESENCE ☆☆☆☆☆

STAGE VISUALS ☆☆☆☆☆

SOUND QUALITY ☆☆☆☆☆

FAVORITE MEMORY

WHEN I LEFT I FELT...

"QUOTE OF THE SHOW"

BUCKET LIST

☐ Heard favorite song   ☐ Made it to the front row

☐ Made it backstage   ☐ Made me cry

☐ Got band merch   ☐ Concert road trip

☐ Lost my voice from singing   ☐ _____

ARTIST/BAND

DATE

SETLIST

_____   _____
_____   _____
_____   _____
_____   _____
_____   _____
_____   _____
_____   _____
_____   _____
_____   _____
_____   _____
_____   _____
_____   _____
_____   _____
_____   _____
_____   _____
_____   _____
_____   _____

FAVORITE SONG PLAYED

_____

MEMORIES

ARTIST / BAND

DATE

_____

CONCERT #

_____

VENUE

_____

TOUR NAME/EVENT

_____

LOCATION

_____

TIME SEEN

① ② ③ ④ ⑤ ⬭

OTHER ACTS

_____

TICKET COST

_____

SEAT LOCATION

_____

WHO I WENT WITH

_____

MY EXPERIENCE

OVERALL ☆☆☆☆☆

SEE AGAIN? Yes | Maybe | No

AUDIENCE ENERGY ☆☆☆☆☆

CHOEOGRAPHY ☆☆☆☆☆

COSTUMES & FASHION ☆☆☆☆☆

STAGE PRESENCE ☆☆☆☆☆

STAGE VISUALS ☆☆☆☆☆

SOUND QUALITY ☆☆☆☆☆

FAVORITE MEMORY

WHEN I LEFT I FELT...

"QUOTE OF THE SHOW"

BUCKET LIST

- [ ] Heard favorite song
- [ ] Made it backstage
- [ ] Got band merch
- [ ] Lost my voice from singing

- [ ] Made it to the front row
- [ ] Made me cry
- [ ] Concert road trip
- [ ] _____

ARTIST/BAND

DATE

SETLIST

_____   _____
_____   _____
_____   _____
_____   _____
_____   _____
_____   _____
_____   _____
_____   _____
_____   _____
_____   _____
_____   _____
_____   _____
_____   _____
_____   _____
_____   _____
_____   _____
_____   _____
_____   _____

FAVORITE SONG PLAYED

_____

MEMORIES

ARTIST / BAND

DATE _____

CONCERT #

_____

VENUE

_____

TOUR NAME/EVENT

_____

LOCATION

_____

TIME SEEN

(1) (2) (3) (4) (5) (   )

OTHER ACTS

_____

TICKET COST

_____

SEAT LOCATION

_____

WHO I WENT WITH

_____

MY EXPERIENCE

OVERALL ☆☆☆☆☆

SEE AGAIN? Yes | Maybe | No

AUDIENCE ENERGY ☆☆☆☆☆

CHOEOGRAPHY ☆☆☆☆☆

COSTUMES & FASHION ☆☆☆☆☆

STAGE PRESENCE ☆☆☆☆☆

STAGE VISUALS ☆☆☆☆☆

SOUND QUALITY ☆☆☆☆☆

FAVORITE MEMORY

WHEN I LEFT I FELT...

"QUOTE OF THE SHOW"

BUCKET LIST

- [ ] Heard favorite song
- [ ] Made it backstage
- [ ] Got band merch
- [ ] Lost my voice from singing

- [ ] Made it to the front row
- [ ] Made me cry
- [ ] Concert road trip
- [ ] _____

ARTIST/BAND

DATE

SETLIST

FAVORITE SONG PLAYED

MEMORIES

ARTIST / BAND

DATE
_____

CONCERT #

VENUE
_____

TOUR NAME/EVENT
_____

LOCATION
_____

TIME SEEN
① ② ③ ④ ⑤ ⬭

OTHER ACTS
_____

TICKET COST
_____

SEAT LOCATION
_____

WHO I WENT WITH
_____

MY EXPERIENCE

OVERALL ☆☆☆☆☆

SEE AGAIN? Yes | Maybe | No

AUDIENCE ENERGY ☆☆☆☆☆

CHOEOGRAPHY ☆☆☆☆☆

COSTUMES & FASHION ☆☆☆☆☆

STAGE PRESENCE ☆☆☆☆☆

STAGE VISUALS ☆☆☆☆☆

SOUND QUALITY ☆☆☆☆☆

FAVORITE MEMORY

WHEN I LEFT I FELT...

"QUOTE OF THE SHOW"

BUCKET LIST

- ☐ Heard favorite song
- ☐ Made it backstage
- ☐ Got band merch
- ☐ Lost my voice from singing

- ☐ Made it to the front row
- ☐ Made me cry
- ☐ Concert road trip
- ☐ _____

ARTIST/BAND

DATE

SETLIST

_____   _____

_____   _____

_____   _____

_____   _____

_____   _____

_____   _____

_____   _____

_____   _____

_____   _____

_____   _____

_____   _____

_____   _____

_____   _____

_____   _____

_____   _____

_____   _____

_____   _____

FAVORITE SONG PLAYED

_____

MEMORIES

ARTIST / BAND

DATE

_____

_____

VENUE

_____

TOUR NAME/EVENT

_____

LOCATION

_____

TIME SEEN

(1) (2) (3) (4) (5) (⬭)

OTHER ACTS

_____

TICKET COST

_____

SEAT LOCATION

_____

WHO I WENT WITH

_____

MY EXPERIENCE

OVERALL ☆☆☆☆☆

SEE AGAIN? Yes | Maybe | No

AUDIENCE ENERGY ☆☆☆☆☆

CHOEOGRAPHY ☆☆☆☆☆

COSTUMES & FASHION ☆☆☆☆☆

STAGE PRESENCE ☆☆☆☆☆

STAGE VISUALS ☆☆☆☆☆

SOUND QUALITY ☆☆☆☆☆

FAVORITE MEMORY

WHEN I LEFT I FELT...

"QUOTE OF THE SHOW"

BUCKET LIST

- ☐ Heard favorite song
- ☐ Made it backstage
- ☐ Got band merch
- ☐ Lost my voice from singing

- ☐ Made it to the front row
- ☐ Made me cry
- ☐ Concert road trip
- ☐ _____

ARTIST/BAND

DATE

SETLIST

_____   _____
_____   _____
_____   _____
_____   _____
_____   _____
_____   _____
_____   _____
_____   _____
_____   _____
_____   _____
_____   _____
_____   _____
_____   _____
_____   _____
_____   _____
_____   _____
_____   _____
_____   _____
_____   _____
_____   _____

FAVORITE SONG PLAYED

_____

MEMORIES

ARTIST / BAND

DATE _____

CONCERT #

VENUE

_____

TOUR NAME/EVENT

_____

LOCATION

_____

TIME SEEN

(1) (2) (3) (4) (5) [_____]

OTHER ACTS

_____

TICKET COST

_____

SEAT LOCATION

_____

WHO I WENT WITH

_____

MY EXPERIENCE

OVERALL ☆☆☆☆☆

SEE AGAIN? Yes | Maybe | No

AUDIENCE ENERGY ☆☆☆☆☆

CHOEOGRAPHY ☆☆☆☆☆

COSTUMES & FASHION ☆☆☆☆☆

STAGE PRESENCE ☆☆☆☆☆

STAGE VISUALS ☆☆☆☆☆

SOUND QUALITY ☆☆☆☆☆

FAVORITE MEMORY

WHEN I LEFT I FELT...

"QUOTE OF THE SHOW"

BUCKET LIST

☐ Heard favorite song

☐ Made it backstage

☐ Got band merch

☐ Lost my voice from singing

☐ Made it to the front row

☐ Made me cry

☐ Concert road trip

☐ _____

ARTIST/BAND

DATE

SETLIST

_____

_____

_____

_____

_____

_____

_____

_____

_____

_____

_____

_____

_____

_____

_____

_____

FAVORITE SONG PLAYED

_____

MEMORIES

ARTIST / BAND

DATE

_____

CONCERT #

_____

VENUE

_____

TOUR NAME/EVENT

_____

LOCATION

_____

TIME SEEN

(1) (2) (3) (4) (5) ( )

OTHER ACTS

_____

TICKET COST

_____

SEAT LOCATION

_____

WHO I WENT WITH

_____

MY EXPERIENCE

OVERALL ☆☆☆☆☆

SEE AGAIN? Yes | Maybe | No

AUDIENCE ENERGY ☆☆☆☆☆

CHOEOGRAPHY ☆☆☆☆☆

COSTUMES & FASHION ☆☆☆☆☆

STAGE PRESENCE ☆☆☆☆☆

STAGE VISUALS ☆☆☆☆☆

SOUND QUALITY ☆☆☆☆☆

FAVORITE MEMORY

WHEN I LEFT I FELT...

"QUOTE OF THE SHOW"

BUCKET LIST

- ☐ Heard favorite song
- ☐ Made it backstage
- ☐ Got band merch
- ☐ Lost my voice from singing

- ☐ Made it to the front row
- ☐ Made me cry
- ☐ Concert road trip
- ☐ _____

ARTIST/BAND

DATE

SETLIST

_____   _____
_____   _____
_____   _____
_____   _____
_____   _____
_____   _____
_____   _____
_____   _____
_____   _____
_____   _____
_____   _____
_____   _____
_____   _____
_____   _____
_____   _____
_____   _____
_____   _____
_____   _____

FAVORITE SONG PLAYED

_____

MEMORIES

ARTIST / BAND

DATE

_____

_____

VENUE

_____

TOUR NAME/EVENT

_____

LOCATION

_____

TIME SEEN

① ② ③ ④ ⑤ ⬭

OTHER ACTS

_____

TICKET COST

_____

SEAT LOCATION

_____

WHO I WENT WITH

_____

MY EXPERIENCE

OVERALL ☆☆☆☆☆

AUDIENCE ENERGY ☆☆☆☆☆

COSTUMES & FASHION ☆☆☆☆☆

STAGE VISUALS ☆☆☆☆☆

SEE AGAIN? Yes | Maybe | No

CHOEOGRAPHY ☆☆☆☆☆

STAGE PRESENCE ☆☆☆☆☆

SOUND QUALITY ☆☆☆☆☆

FAVORITE MEMORY

WHEN I LEFT I FELT...

"QUOTE OF THE SHOW"

BUCKET LIST

☐ Heard favorite song   ☐ Made it to the front row

☐ Made it backstage   ☐ Made me cry

☐ Got band merch   ☐ Concert road trip

☐ Lost my voice from singing   ☐ _____

ARTIST/BAND

DATE

SETLIST

_____   _____
_____   _____
_____   _____
_____   _____
_____   _____
_____   _____
_____   _____
_____   _____
_____   _____
_____   _____
_____   _____
_____   _____
_____   _____
_____   _____
_____   _____
_____   _____
_____   _____

FAVORITE SONG PLAYED

_____

MEMORIES

ARTIST / BAND

DATE

_____

CONCERT #

_____

VENUE

_____

TOUR NAME/EVENT

_____

LOCATION

_____

TIME SEEN

① ② ③ ④ ⑤ ⬭

OTHER ACTS

_____

TICKET COST

_____

SEAT LOCATION

_____

WHO I WENT WITH

_____

MY EXPERIENCE

OVERALL ☆☆☆☆☆

SEE AGAIN? Yes | Maybe | No

AUDIENCE ENERGY ☆☆☆☆☆

CHOEOGRAPHY ☆☆☆☆☆

COSTUMES & FASHION ☆☆☆☆☆

STAGE PRESENCE ☆☆☆☆☆

STAGE VISUALS ☆☆☆☆☆

SOUND QUALITY ☆☆☆☆☆

FAVORITE MEMORY

WHEN I LEFT I FELT...

"QUOTE OF THE SHOW"

BUCKET LIST

☐ Heard favorite song
☐ Made it backstage
☐ Got band merch
☐ Lost my voice from singing

☐ Made it to the front row
☐ Made me cry
☐ Concert road trip
☐ _____

ARTIST/BAND

DATE

SETLIST

_____   _____
_____   _____
_____   _____
_____   _____
_____   _____
_____   _____
_____   _____
_____   _____
_____   _____
_____   _____
_____   _____
_____   _____
_____   _____
_____   _____
_____   _____
_____   _____

FAVORITE SONG PLAYED

_____

MEMORIES

ARTIST / BAND

CONCERT #

_____

_____

VENUE

_____

TOUR NAME/EVENT

_____

LOCATION

_____

TIME SEEN

(1) (2) (3) (4) (5) (_____)

OTHER ACTS

_____

TICKET COST

_____

SEAT LOCATION

_____

WHO I WENT WITH

_____

MY EXPERIENCE

OVERALL ☆☆☆☆☆

SEE AGAIN? Yes | Maybe | No

AUDIENCE ENERGY ☆☆☆☆☆

CHOEOGRAPHY ☆☆☆☆☆

COSTUMES & FASHION ☆☆☆☆☆

STAGE PRESENCE ☆☆☆☆☆

STAGE VISUALS ☆☆☆☆☆

SOUND QUALITY ☆☆☆☆☆

FAVORITE MEMORY

WHEN I LEFT I FELT...

"QUOTE OF THE SHOW"

BUCKET LIST

- ☐ Heard favorite song
- ☐ Made it backstage
- ☐ Got band merch
- ☐ Lost my voice from singing

- ☐ Made it to the front row
- ☐ Made me cry
- ☐ Concert road trip
- ☐ _____

ARTIST/BAND

DATE

SETLIST

_____   _____
_____   _____
_____   _____
_____   _____
_____   _____
_____   _____
_____   _____
_____   _____
_____   _____
_____   _____
_____   _____
_____   _____
_____   _____
_____   _____
_____   _____
_____   _____
_____   _____
_____   _____

FAVORITE SONG PLAYED

_____

MEMORIES

ARTIST / BAND

DATE

_____

CONCERT #

VENUE

_____

TOUR NAME/EVENT

_____

LOCATION

_____

TIME SEEN

① ② ③ ④ ⑤ ⬭

OTHER ACTS

_____

TICKET COST

_____

SEAT LOCATION

_____

WHO I WENT WITH

_____

MY EXPERIENCE

OVERALL ☆☆☆☆☆

AUDIENCE ENERGY ☆☆☆☆☆

COSTUMES & FASHION ☆☆☆☆☆

STAGE VISUALS ☆☆☆☆☆

SEE AGAIN? Yes | Maybe | No

CHOEOGRAPHY ☆☆☆☆☆

STAGE PRESENCE ☆☆☆☆☆

SOUND QUALITY ☆☆☆☆☆

FAVORITE MEMORY

WHEN I LEFT I FELT...

"QUOTE OF THE SHOW"

BUCKET LIST

- ☐ Heard favorite song
- ☐ Made it backstage
- ☐ Got band merch
- ☐ Lost my voice from singing

- ☐ Made it to the front row
- ☐ Made me cry
- ☐ Concert road trip
- ☐ _____

ARTIST/BAND

DATE

SETLIST

FAVORITE SONG PLAYED

MEMORIES

ARTIST / BAND

DATE

_____

CONCERT #

VENUE

_____

TOUR NAME/EVENT

_____

LOCATION

_____

TIME SEEN

(1) (2) (3) (4) (5) (___)

OTHER ACTS

_____

TICKET COST

_____

SEAT LOCATION

_____

WHO I WENT WITH

_____

MY EXPERIENCE

OVERALL ☆☆☆☆☆

SEE AGAIN? Yes | Maybe | No

AUDIENCE ENERGY ☆☆☆☆☆

CHOEOGRAPHY ☆☆☆☆☆

COSTUMES & FASHION ☆☆☆☆☆

STAGE PRESENCE ☆☆☆☆☆

STAGE VISUALS ☆☆☆☆☆

SOUND QUALITY ☆☆☆☆☆

FAVORITE MEMORY

WHEN I LEFT I FELT...

'QUOTE OF THE SHOW"

BUCKET LIST

- [ ] Heard favorite song
- [ ] Made it backstage
- [ ] Got band merch
- [ ] Lost my voice from singing

- [ ] Made it to the front row
- [ ] Made me cry
- [ ] Concert road trip
- [ ] _____

ARTIST/BAND

DATE

SETLIST

_____   _____
_____   _____
_____   _____
_____   _____
_____   _____
_____   _____
_____   _____
_____   _____
_____   _____
_____   _____
_____   _____
_____   _____
_____   _____
_____   _____
_____   _____
_____   _____
_____   _____
_____   _____

FAVORITE SONG PLAYED

_____

MEMORIES

ARTIST / BAND

_____

CONCERT #

_____

VENUE

_____

TOUR NAME/EVENT

_____

LOCATION

_____

TIME SEEN

① ② ③ ④ ⑤ ⬭

OTHER ACTS

_____

TICKET COST

_____

SEAT LOCATION

_____

WHO I WENT WITH

_____

MY EXPERIENCE

OVERALL ☆☆☆☆☆

SEE AGAIN? Yes | Maybe | No

AUDIENCE ENERGY ☆☆☆☆☆

CHOEOGRAPHY ☆☆☆☆☆

COSTUMES & FASHION ☆☆☆☆☆

STAGE PRESENCE ☆☆☆☆☆

STAGE VISUALS ☆☆☆☆☆

SOUND QUALITY ☆☆☆☆☆

FAVORITE MEMORY

WHEN I LEFT I FELT...

"QUOTE OF THE SHOW"

BUCKET LIST

☐ Heard favorite song

☐ Made it backstage

☐ Got band merch

☐ Lost my voice from singing

☐ Made it to the front row

☐ Made me cry

☐ Concert road trip

☐ _____

ARTIST/BAND

DATE

SETLIST

_____   _____
_____   _____
_____   _____
_____   _____
_____   _____
_____   _____
_____   _____
_____   _____
_____   _____
_____   _____
_____   _____
_____   _____
_____   _____
_____   _____
_____   _____
_____   _____
_____   _____
_____   _____

FAVORITE SONG PLAYED

_____

MEMORIES

ARTIST / BAND

DATE

_____

CONCERT #

VENUE

_____

TOUR NAME/EVENT

_____

LOCATION

_____

TIME SEEN

① ② ③ ④ ⑤ ⬭

OTHER ACTS

_____

TICKET COST

_____

SEAT LOCATION

_____

WHO I WENT WITH

_____

MY EXPERIENCE

OVERALL ☆☆☆☆☆

AUDIENCE ENERGY ☆☆☆☆☆

COSTUMES & FASHION ☆☆☆☆☆

STAGE VISUALS ☆☆☆☆☆

SEE AGAIN? Yes | Maybe | No

CHOEOGRAPHY ☆☆☆☆☆

STAGE PRESENCE ☆☆☆☆☆

SOUND QUALITY ☆☆☆☆☆

FAVORITE MEMORY

WHEN I LEFT I FELT...

"QUOTE OF THE SHOW"

BUCKET LIST

☐ Heard favorite song
☐ Made it backstage
☐ Got band merch
☐ Lost my voice from singing

☐ Made it to the front row
☐ Made me cry
☐ Concert road trip
☐ _____

ARTIST/BAND

DATE

SETLIST

_____

_____

_____

_____

_____

_____

_____

_____

_____

_____

_____

_____

_____

_____

_____

_____

FAVORITE SONG PLAYED

_____

MEMORIES

ARTIST / BAND

DATE
_____

CONCERT #

VENUE

_____

TOUR NAME/EVENT

_____

LOCATION

_____

TIME SEEN

(1) (2) (3) (4) (5) (____)

OTHER ACTS

_____

TICKET COST

_____

SEAT LOCATION

_____

WHO I WENT WITH

_____

MY EXPERIENCE

OVERALL ☆☆☆☆☆   SEE AGAIN? Yes | Maybe | No

AUDIENCE ENERGY ☆☆☆☆☆   CHOEOGRAPHY ☆☆☆☆☆

COSTUMES & FASHION ☆☆☆☆☆   STAGE PRESENCE ☆☆☆☆☆

STAGE VISUALS ☆☆☆☆☆   SOUND QUALITY ☆☆☆☆☆

FAVORITE MEMORY

WHEN I LEFT I FELT...

"QUOTE OF THE SHOW"

BUCKET LIST

- [ ] Heard favorite song
- [ ] Made it backstage
- [ ] Got band merch
- [ ] Lost my voice from singing

- [ ] Made it to the front row
- [ ] Made me cry
- [ ] Concert road trip
- [ ] _____

ARTIST/BAND

DATE

SETLIST

FAVORITE SONG PLAYED

MEMORIES

ARTIST / BAND

DATE

_____

CONCERT #

_____

VENUE

_____

TOUR NAME/EVENT

_____

LOCATION

_____

TIME SEEN

(1) (2) (3) (4) (5) (_____)

OTHER ACTS

_____

TICKET COST

_____

SEAT LOCATION

_____

WHO I WENT WITH

_____

MY EXPERIENCE

OVERALL ☆☆☆☆☆

SEE AGAIN? Yes | Maybe | No

AUDIENCE ENERGY ☆☆☆☆☆

CHOEOGRAPHY ☆☆☆☆☆

COSTUMES & FASHION ☆☆☆☆☆

STAGE PRESENCE ☆☆☆☆☆

STAGE VISUALS ☆☆☆☆☆

SOUND QUALITY ☆☆☆☆☆

FAVORITE MEMORY

WHEN I LEFT I FELT...

"QUOTE OF THE SHOW"

BUCKET LIST

- ☐ **Heard favorite song**
- ☐ **Made it backstage**
- ☐ **Got band merch**
- ☐ **Lost my voice from singing**

- ☐ **Made it to the front row**
- ☐ **Made me cry**
- ☐ **Concert road trip**
- ☐ _____

ARTIST/BAND

DATE

SETLIST

_____   _____

_____   _____

_____   _____

_____   _____

_____   _____

_____   _____

_____   _____

_____   _____

_____   _____

_____   _____

_____   _____

_____   _____

_____   _____

_____   _____

_____   _____

_____   _____

FAVORITE SONG PLAYED

_____

MEMORIES

ARTIST / BAND

DATE

_____

CONCERT #

VENUE

_____

TOUR NAME/EVENT

_____

LOCATION

_____

TIME SEEN

① ② ③ ④ ⑤ ⬭

OTHER ACTS

_____

TICKET COST

_____

SEAT LOCATION

_____

WHO I WENT WITH

_____

MY EXPERIENCE

OVERALL ☆☆☆☆☆

SEE AGAIN? Yes | Maybe | No

AUDIENCE ENERGY ☆☆☆☆☆

CHOEOGRAPHY ☆☆☆☆☆

COSTUMES & FASHION ☆☆☆☆☆

STAGE PRESENCE ☆☆☆☆☆

STAGE VISUALS ☆☆☆☆☆

SOUND QUALITY ☆☆☆☆☆

FAVORITE MEMORY

WHEN I LEFT I FELT...

"QUOTE OF THE SHOW"

BUCKET LIST

☐ **Heard favorite song**

☐ **Made it backstage**

☐ **Got band merch**

☐ **Lost my voice from singing**

☐ **Made it to the front row**

☐ **Made me cry**

☐ **Concert road trip**

☐ _____

ARTIST/BAND

_____

DATE

_____

SETLIST

_____ _____
_____ _____
_____ _____
_____ _____
_____ _____
_____ _____
_____ _____
_____ _____
_____ _____
_____ _____
_____ _____
_____ _____
_____ _____
_____ _____
_____ _____
_____ _____
_____ _____
_____ _____

FAVORITE SONG PLAYED

_____

MEMORIES

ARTIST / BAND

DATE
_____

CONCERT #

_____

VENUE

_____

TOUR NAME/EVENT

_____

LOCATION

_____

TIME SEEN

(1) (2) (3) (4) (5) (_____)

OTHER ACTS

_____

TICKET COST

_____

SEAT LOCATION

_____

WHO I WENT WITH

_____

MY EXPERIENCE

OVERALL ☆☆☆☆☆

SEE AGAIN? Yes | Maybe | No

AUDIENCE ENERGY ☆☆☆☆☆

CHOEOGRAPHY ☆☆☆☆☆

COSTUMES & FASHION ☆☆☆☆☆

STAGE PRESENCE ☆☆☆☆☆

STAGE VISUALS ☆☆☆☆☆

SOUND QUALITY ☆☆☆☆☆

FAVORITE MEMORY

WHEN I LEFT I FELT...

"QUOTE OF THE SHOW"

BUCKET LIST

☐ Heard favorite song
☐ Made it backstage
☐ Got band merch
☐ Lost my voice from singing

☐ Made it to the front row
☐ Made me cry
☐ Concert road trip
☐ _____

ARTIST/BAND

DATE

SETLIST

_____   _____
_____   _____
_____   _____
_____   _____
_____   _____
_____   _____
_____   _____
_____   _____
_____   _____
_____   _____
_____   _____
_____   _____
_____   _____
_____   _____
_____   _____
_____   _____
_____   _____

FAVORITE SONG PLAYED

_____

MEMORIES

ARTIST / BAND

DATE

_____

CONCERT #

_____

VENUE

_____

TOUR NAME/EVENT

_____

LOCATION

_____

TIME SEEN

(1) (2) (3) (4) (5) (____)

OTHER ACTS

_____

TICKET COST

_____

SEAT LOCATION

_____

WHO I WENT WITH

_____

MY EXPERIENCE

OVERALL ☆☆☆☆☆

SEE AGAIN? Yes | Maybe | No

AUDIENCE ENERGY ☆☆☆☆☆

CHOEOGRAPHY ☆☆☆☆☆

COSTUMES & FASHION ☆☆☆☆☆

STAGE PRESENCE ☆☆☆☆☆

STAGE VISUALS ☆☆☆☆☆

SOUND QUALITY ☆☆☆☆☆

FAVORITE MEMORY

WHEN I LEFT I FELT...

"QUOTE OF THE SHOW"

BUCKET LIST

☐ Heard favorite song ☐ Made it to the front row

☐ Made it backstage ☐ Made me cry

☐ Got band merch ☐ Concert road trip

☐ Lost my voice from singing ☐ _____

ARTIST/BAND

DATE

SETLIST

_____   _____
_____   _____
_____   _____
_____   _____
_____   _____
_____   _____
_____   _____
_____   _____
_____   _____
_____   _____
_____   _____
_____   _____
_____   _____
_____   _____
_____   _____
_____   _____
_____   _____
_____   _____

FAVORITE SONG PLAYED

_____

MEMORIES

ARTIST / BAND

DATE

_____

CONCERT #

_____

VENUE

_____

TOUR NAME/EVENT

_____

LOCATION

_____

TIME SEEN

① ② ③ ④ ⑤ ⬭

OTHER ACTS

_____

TICKET COST

_____

SEAT LOCATION

_____

WHO I WENT WITH

_____

MY EXPERIENCE

OVERALL ☆☆☆☆☆

AUDIENCE ENERGY ☆☆☆☆☆

COSTUMES & FASHION ☆☆☆☆☆

STAGE VISUALS ☆☆☆☆☆

SEE AGAIN? Yes | Maybe | No

CHOEOGRAPHY ☆☆☆☆☆

STAGE PRESENCE ☆☆☆☆☆

SOUND QUALITY ☆☆☆☆☆

FAVORITE MEMORY

WHEN I LEFT I FELT...

"QUOTE OF THE SHOW"

BUCKET LIST

☐ Heard favorite song   ☐ Made it to the front row

☐ Made it backstage   ☐ Made me cry

☐ Got band merch   ☐ Concert road trip

☐ Lost my voice from singing   ☐ _____

ARTIST/BAND

DATE

SETLIST

_____   _____
_____   _____
_____   _____
_____   _____
_____   _____
_____   _____
_____   _____
_____   _____
_____   _____
_____   _____
_____   _____
_____   _____
_____   _____
_____   _____
_____   _____
_____   _____
_____   _____
_____   _____
_____   _____
_____   _____

FAVORITE SONG PLAYED

_____

MEMORIES

Made in the USA
Las Vegas, NV
03 December 2024

13194351R00069